COLIN DER KREBS FINDET EINEN SCHATZ

Colin der Krebs findet einen Schatz

Geschichte von *Tuula Pere*
Illustrationen von *Roksolana Panchyshyn*
Layout von *Peter Stone*
Deutsch übersetzung durch *Barbara Litzlfellner*

ISBN 978-952-325-158-8 (Hardcover)
ISBN 978-952-325-159-5 (Softcover)
ISBN 978-952-325-160-1 (ePub)
Erste Auflage

Copyright © 2017-2021 Wickwick Ltd

Herausgegeben 2021 durch Wickwick Ltd
Helsinki, Finnland

Colin the Crab Finds a Treasure, German Translation

Story by *Tuula Pere*
Illustrations by *Roksolana Panchyshyn*
Layout by *Peter Stone*
German translation by *Barbara Litzlfellner*

ISBN 978-952-325-158-8 (Hardcover)
ISBN 978-952-325-159-5 (Softcover)
ISBN 978-952-325-160-1 (ePub)
First edition

Copyright © 2017-2021 Wickwick Ltd

Published 2021 by Wickwick Ltd
Helsinki, Finland

Originally published in Finland by Wickwick Ltd in 2017
Finnish "Timo Taskuravun aarre", ISBN 978-952-325-078-9 (Hardcover), ISBN 978-952-325-578-4 (ePub)
English "Colin the Crab Finds a Treasure", ISBN 978-952-325-333-9 (Hardcover), ISBN 978-952-325-833-4 (ePub)

Wickwick books are available at special discounts when purchased in quantity for premiums and promotions as well as fundraising or educational use. Special editions can also be created to specification. For details, contact specialsales@wickwick.fi.

Colin der Krebs findet einen Schatz

Tuula Pere · Roksolana Panchyshyn

WickWick
Children's Books from the Heart

2

In der Küche von Colin dem Krebs hatte alles seinen Platz. Sein Besitz war spärlich, und er hatte das meiste davon von seinen Großeltern geerbt. Colin führte ein bescheidenes Leben, und arbeitete hart. Er genoss den Frieden und die Ruhe seines Heimes, das er mit seinen eigenen Scheren erbaut hatte.

Colins grauer Kessel köchelte fröhlich auf dem Herd. Da er oft benutzt wurde, war er ziemlich verbeult, aber das störte Colin kein bisschen. Er wusste, dass in diesem Kessel die köstlichsten Suppen und Eintöpfe der ganzen Bucht gekocht wurden. Oft lud er seinen großen Freundeskreis ein, sich auch an ihnen gütlich zu tun. Im Moment jedoch war Colin alleine. Er saß in seinem Schaukelstuhl, und wartete darauf, das der Seetangbrei zu kochen begann.

Er brauchte ein gutes Frühstück, da er vor hatte, sich zum Unterlauf des Flusses aufzumachen, um im Geschäft von Ozzie dem Oktopus ein paar Einkäufe zu erledigen. Colins Regale benötigten einige frische Vorräte. Er hatte fast keine Gewürze mehr, und der Behälter für den Kräutertee war ganz leer. Außerdem musste er auch etwas Seegraspuder besorgen.

Colin schob den Brei an den Rand des Herdes, damit er dort vor sich hin köcheln konnte, und beschloss, vor seinem Frühstück kurz im Werkzeugschuppen vorbeizuschauen. Er war ein begeisterter Baumeister, und musste sich immer mit neuem Baumaterial eindecken. Sogar jetzt musste er ein paar Nägel, Eisendraht und große Scharniere für die umfallende Tür von Frau Wels besorgen.

Es sollte eine arbeitsreiche Woche werden. Colin war ein gefragter Experte. Die Leute in der gesamten Bucht legten die Reparaturarbeiten an ihren Heimen vertrauensvoll in die geschickten Scheren von Colin dem Krebs. Mit einem leichten Gefühl von Stolz ließ er seine Brustplatte anschwellen, und machte sich auf den Weg in die Küche, um seinen Brei zu essen.

Es war nicht weit bis zum Geschäft von Ozzie dem Oktopus, aber Colin musste viel Zeit einplanen, um dorthin zu gelangen. Auf dem Hinweg, während sein Anhänger noch leer war, hatte er die Angewohnheit anzuhalten, um sich mit seinen Freunden zu unterhalten, und jeden mitzunehmen, der einkaufen gehen wollte. Vollbeladen würde er für den Rückweg mindestens genauso lange benötigen. Außerdem würde er auch gegen die Strömung ankämpfen müssen.

Wie immer auf seinem Weg hinaus, drehte er sich noch einmal um, um zurückzublicken.

„Was für ein wundervolles Haus ich habe", dachte er, und nickte sich selbst zu, zufrieden mit dem, was er sah.

Alles war selbst gebaut. Jedes Stockwerk und jeder Raum, jedes Fenster und jede Stufe. Was einst eine bescheidene Kellerwohnung gewesen war, war am Flussufer nach und nach gewachsen, und ragte letztendlich zwischen den Uferpflanzen in den Himmel. Nachts saß Colin oft auf dem Dach seines Hauses, und bewunderte den silbernen Mond, der über die Wiesen des Flussufers und über die Wasseroberfläche seiner Heimatbucht schien.

„Wirklich ein herrliches Haus", dachte der Krebs, als er das Tor vorsichtig hinter sich schloss.

Unbeschwert lenkte Colin der Krebs seinen Karren flussabwärts, und wiederholte die Einkaufsliste in seinem Kopf. Die Strömung war ruhig, und verhalf ihm zu einer angenehmen Fahrt.

Steine, die durch die Strömung glatt geschliffen waren, säumten die Flussbiegung. Dieser von der Natur geschaffene Ort war ideal zum Schwimmen, und die Leute aus der Umgebung waren hier häufige Gäste. Schon von Weitem konnte Colin der Krebs sehen, wie das Wasser wild sprudelte, und der weiche Sand vom Grund in Wolken nach oben stieg. Das konnte nur eines bedeuten – Sally der Seestern hielt ihre Morgentoilette, und bürstete dabei alle ihre fünf Arme gleichzeitig.

„Lieber Colin, du hast es doch bestimmt nicht eilig. Ich bin in einer Sekunde fertig", rief Sally über das Wasserplätschern. „Ich nehme an, dass du mich flussabwärts mitnimmst?"

„Aber natürlich", antwortete Colin zustimmend. „Es ist noch nichts in meinem Karren. Es ist genug Platz für dich."

B ald war Sally blitzsauber, und saß hinten im Karren, streckte ihre Arme aus, und amüsierte sich gut.

„Es macht so viel Spaß, das Geschäft von Ozzie dem Oktopus zu besuchen. Dort kann man seine Einkäufe erledigen, und gleichzeitig seine Freunde treffen", sagte Colin.

„Nun ja, es ist ein gutes Geschäft, wenn man etwas Gewöhnliches möchte", antwortete Sally, und rümpfte ihre Nase ein wenig. „Aber meistens habe ich ganz besondere Bedürfnisse. Armpolierwachs und Saugnapfcreme gibt es nur in besonderen Geschäften."

Colin nickte etwas verlegen. Für ihn waren normales Essen und gewöhnliche Werkzeuge in Ordnung. Man konnte sie immer einfach im Geschäft von Ozzie dem Oktopus finden.

Vor dem Geschäft von Ozzie dem Oktopus war ein großes Gedränge. Colin der Krebs fand um die Ecke einen friedlicheren Parkplatz für seinen Karren, aber Sally der Seestern schwamm gleich hinüber, um herauszufinden, was der Grund für die ganze Aufregung war.

Colin näherte sich dem Gedränge vorsichtig. Der Mittelpunkt des Interesses war zweifellos irgendwo im Zentrum der Gruppe. Der Krebs konnte nur ein paar sporadische Worte aus dem Geschrei heraushören. Es war Eddie der Aal, der sprach.

„Das Neueste vom Neuen... absolut seetüchtig... ausgestattet mit einer Lichtmaschine und einer Glanzturbine..." Der Aal warb für ein Gerät, das die Aufmerksamkeit aller gefesselt hatte.

Colin schlurfte langsam die Flussbank hinauf. Von seinem Aussichtspunkt sah er hinab auf den Laden. Er sah, wie Eddie der Aal jede Sekunde davon genoss, mit diesem neuen technologischen Wunder neben ihm, im Mittelpunkt der Aufmerksamkeit zu stehen. Er hatte sich einen auf dem neuesten Stand der Technik befindlichen Motocopter von jenseits des weiten Ozeans besorgt, und war sehr stolz darauf.

„Mein neuer Motocopter ist ohne Zweifel das schnellste Fortbewegungsmittel in diesem Fluss", prahlte Eddie. „Bald werde ich ihn unter Meeresbedingungen testen. Lasst mich euch versichern, dass sogar meine Verwandten in der Saragossasee mit offenem Mund dastehen werden, wenn sie ihn sehen!"

Ohne, dass es jemand bemerkte, rutschte Colin der Krebs die Flussbank hinunter und schlich in das leere Geschäft von Ozzie dem Oktopus. Natürlich war auch ihm klar, wie großartig das Fahrzeug war, aber es war ihm einfach nicht danach, sich besonders dafür zu begeistern.

Der Krebs selbst hatte keine Verwendung für ein Gerät mit brummendem Motor und zu vielen Knöpfen. Er konnte nicht anders, als sich zu wundern, wie um alles in der Welt Eddie der Aal genug Dinge fand, für die er seine Maschinen benutzen konnte. Wenigstens wurde es Eddie nie langweilig, so viel war sicher. Es musste immer ein Teil ausgetauscht werden, Zubehör musste besorgt werden und Motoren überholt.

Eddie würde Colin oft damit hänseln, dass er das einzige verbleibende Fossil in der Bucht sei. Aber das war Colin egal. Das ist was Krebse sind, immer waren, und immer sein würden. Das war es auch, was Colins Großvater oft gesagt hatte, und er war ein sehr weises Schalentier gewesen.

Colin der Krebs beschloss, sich Zeit zu lassen, und sich auf seine eigene Einkaufsliste zu konzentrieren.

C olin hatte bald alle Dinge, die er benötigte, herausgesucht. Er hatte den Ladenbesitzer nur für sich, da der Rest der Kunden hinausgegangen war, um den Motocopter von Eddie dem Aal zu bewundern.

„Hier ist ein Stück der neuesten Technologie, das dich interessieren könnte, Colin", schlug Ozzie der Oktopus mit einem glänzenden Bohrer in seinen Tentakeln vor.

„Mein alter Bohrer funktioniert noch gut genug", sagte Colin verlegen. Er konnte auf keinen Fall den uralten Bohrer, den er von seinem Großvater bekommen hatte, aufgeben. Er passte perfekt in seine Scheren, und machte kein nervendes, lautes Geräusch.

„Und was ist mit diesen Sonderangeboten?" Der Oktopus deutete auf die Regale, die ihn umgaben. „Nun haben auch wir eine Fülle an Luxusgütern zu erschwinglichen Preisen."

„Danke, aber ich denke, ich habe alles, was ich brauche", murmelte Colin zögerlich.

„Nun, dann vielleicht nächstes Mal. Etwas neues und erfrischendes, um den Frühling zu ehren", schlug der Ladenbesitzer verheißungsvoll vor.

Colin fühlte sich seltsam, als er seine Einkäufe zu seinem Karren trug, und sich auf den Heimweg machte.

Sally der Seestern hatte das Angebot einer Mitfahrgelegenheit für den Rückweg abgelehnt. Sie würde später in den Motocopter von Eddie dem Aal springen, und im Nu zurück daheim sein.

Colin der Krebs kämpfte Meter für Meter gegen die Strömung an. War sie jetzt stärker, oder war nur seine Ladung schwerer als gewöhnlich? Die Räder blieben ständig zwischen den Steinen am Grund stecken, aber Colin setzte seine Fahrt nach Hause beharrlich fort.

Als Colin der Krebs das Haus der guten, alten Frau Wels erreichte, musste er eine Pause einlegen, um wieder zu Atem zu kommen. Er setzte sich auf die Seite seines Karrens, und sah sich ihr Haus an. Es war ihm sehr vertraut, da Frau Wels ständig seine Hilfe damit benötigte. Das arme, alte Haus würde auseinanderfallen, wenn er nicht wäre.

Einst war es ein beeindruckendes Gebäude gewesen. Nun waren die Tage seiner Pracht vergangen. Frau Wels konnte sich aber trotzdem nicht vorstellen, irgendwo anders zu leben. Das Haus war voller Erinnerungen und Gegenstände, die ihr lieb und teuer waren.

„Eine echte Antiquität", rief Frau Wels von ihrem Balkon, während Sie mit einem mehrarmigen Kerzenständer in ihrer Hand winkte.

Sie war ganz vertieft in ihre liebste Hausarbeit, nämlich ihre Schätze zu polieren. Colin bot Ihr seine Hilfe an, aber Frau Wels lehnte schnell ab.

„Du bist mit Sicherheit der geschickteste Hausbauer und Dachreparateur in der Nachbarschaft, aber deine Scheren sind nicht dafür gemacht, um mit wertvollem Porzellan oder antikem Silber umzugehen."

„Ich verstehe", antwortete Colin, und packte die Griffe seines Karrens mit seinen starken Scheren.

Die alte Frau Wels winkte Colin zum Abschied mit ihrem Poliertuch, und fuhr fort, an ihren antiken Gegenständen zu arbeiten.

Im Haus von Norma dem Molch war immer etwas los. Ihre große Familie führte ein Leben voller Aufregung. Sie hatte so viele Babys, dass Colin sie nicht mehr zählen konnte. Norma, die immer voller Energie war, kam in den Garten, um Neuigkeiten auszutauschen.

„Das war vielleicht ein Morgen", seufzte die Molchmutter, und wischte sich die Hände an ihrer Schürze ab.

„Ich hoffe, es ist nichts Ernstes gesehen", sagte Colin besorgt.

„Die Kinder waren nur so übermütig, dass ich einfach nicht in Ruhe backen konnte", beschwerte sich Norma. „Das erste Blech mit Insektenlaven ist ruiniert, und wir haben heute Abend eine Geburtstagsfeier für unseren Jüngsten."

Die kleinen Molche kletterten auf die Ladung im Karren von Colin dem Krebs. Geduldig beobachtete er sie beim spielen, und rettete ein paar von den Kleinsten, die sich mit ihren Füßen in einem Knäuel Bindfaden verfangen hatten.

Manchmal träumte Colin der Krebs davon, eine eigene Familie zu haben. Für ihn wäre das ein größerer Schatz, als alles andere. Er würde liebend gerne viele Teller auf seinem runden Küchentisch platzieren, und seinen kleinen Krebsbabys Gutenachtgeschichten erzählen. Natürlich hatte Colin viele Freunde, die er gerne in seinen neuen Pavillon einlud. Aber meistens war es still in seinem Haus. Er hatte nur ein paar Verwandte, die ziemlich weit weg wohnten.

Colin stieß einen trübsinnigen Seufzer aus, und setzte seine Fahrt fort. Die Ladung schien schwerer zu sein als zuvor. Norma der Molch eilte zurück nach drinnen, um zu backen, während ein Dutzend kleiner Molche draußen blieb, um alleine in dem unordentlichen Garten inmitten des Hornkrauts zu spielen.

Die Holzdielen knarzten unter Colins Schaukelstuhl. In seinen Scheren wurde die Teetasse kalt. Er war schon eine lange Zeit tief in seine Gedanken versunken dort gesessen, und beobachtete durch das Fenster, wie die Nacht über den Fluss hereinbrach. Er fühlte sich seit seinem Einkaufsausflug seltsam bedrückt.

Colin dachte über die Ereignisse des Tages nach. Es war schön, dass er seine alten Freunde Sally den Seestern, und Eddie den Aal, Frau Wels und Norma den Molch getroffen hatte. Colin war glücklich für sie alle. Alles in ihren Leben schien in Ordnung zu sein. Es war schwer, sich vorzustellen, dass es einen schöneren Seestern geben könnte, als Sally. Eddies Geschäft florierte. Frau Wels war zufrieden in ihrem alten Haus mit ihrer Antiquitätensammlung.

Am glücklichsten von allen war die Molch Familie, dachte Colin. Obwohl Norma der Molch manchmal schrecklich müde zu sein schien, würde sie ihre Molchbabys für keinen Schatz in der Welt eintauschen. Dessen war sich Colin sicher, wenn er die liebevollen Blicke bemerkte, mit denen sie trotz all der Anstrengung ihre Kinder ansah.

Nachdenklich schaukelte der Krebs in seinem Stuhl vor und zurück. Obwohl alles in Ordnung war, war er unzufrieden. Vielleicht fehlte doch etwas Wichtiges in seinem Leben. Aber was war es? Colin konnte sich weder modisch angezogen im Mittelpunkt der Aufmerksamkeit, noch auf einem superschnellen Motocopter sitzend, sehen. Und er hatte in seiner Küche keinen Nutzen für glänzendes Silber oder empfindliches Porzellan.

Aber war Colin zu gewöhnlich – geradezu langweilig? Sein Leben verlief in seiner gewohnten Spur ohne viel Gelegenheit zu bieten, große Neuigkeiten zu berichten oder Schätze herzuzeigen. Der Krebs wusch seine Teetasse und kroch ins Bett unter seine Decke.

Über Nacht war das Wasser in der Bucht zurückgegangen. Das war kein gutes Zeichen. Colin wachte mitten in einem Traum auf, und sah aus seinem Schlafzimmerfenster. Er war besorgt. Plötzlich schien sich die Strömung umzukehren, und begann in die falsche Richtung zu fließen. Massenweise Wasser begann flussaufwärts zu drängen. Der Ozean hatte eine Flutwelle geschickt, die nun Wasser vom Delta flussaufwärts drückte.

Colins Haus war robust, und würde die Strömung aushalten. Jede Menge lose Gegenstände trieben mit dem Wasser hin und her. Strudel wirbelten Abfall um das Geländer der Veranda. Aber was in aller Welt klapperte gegen die Balken des Pavillons?

Der Krebs schlüpfte durch die Tür, und begann, vorsichtig durch den Garten in Richtung seines Pavillons zu krabbeln. Er musste sich fest mit allen seinen Füßen an den Steinen auf dem Boden festhalten. Mit großer Anstrengung gelang es ihm, den Pavillon zu erreichen, und er stellte fest, dass die Strömung eine Perlmuschel von einem Muschelfeld im Ozean mit sich gebracht hatte. Die Muschel trieb unkontrolliert umher, und es kostete Colin einige Anstrengung, sie zu retten.

Schließlich gelang es ihm, die Perlmuschel mit seinen Scheren festzuhalten. Er band sie mit einem Ankerseil fest an den Pavillon, und blieb für den Rest der Nacht dort, um über sie zu wachen.

„Wenn ich nur daran denke, dass jetzt eine echte Perlmuschel aus dem fernen Ozean hier ist", grübelte Colin glücklich. „Ich frage mich, ob sie eine prachtvolle Perle in ihrer Schale hat." Jetzt hatte er eine Geschichte, die er seinen Freunden erzählen konnte.

Colin klopfte vorsichtig an die Schale der Muschel, aber sie weigerte sich stur, sich zu öffnen. Das entmutigte Colin nicht. Er hatte genug Geduld, um zu warten.

Colin der Krebs hatte die ganze Nacht an der Seite der Perlmuschel gewacht. Die Strömung hatte sich beruhigt, und die Morgensonne wärmte das seichte Wasser der Bucht. Die Schale der Muschel blieb fest geschlossen. Colin blickte mitfühlend auf seinen Gast.

„Arme Auster, du hast wahrscheinlich viel durchgemacht", sprach der Krebs zu sich selbst. „Glücklicherweise ist deine Schale unverletzt, und du bist jetzt sicher, hier bei mir."

Die Stunden vergingen, und Colin saß geduldig neben der Auster in seinem Pavillon, und redete beruhigend auf sie ein. Gegen Mittag gab er der Schale einen kleinen Klaps auf die Seite.

„Ich habe hier etwas zu essen für dich, meine Freundin", sagte Colin sanft. „Es ist Zeit, dass du etwas isst."

Die Schale öffnete sich ein wenig. Schließlich gelang es dem Krebs seinem Hausgast einen Tropfen seiner nahrreichen Insektensuppe einzuflößen. Schnell schloss sich die Schale wieder, und ließ Colin enttäuscht mit einem leeren Löffel in der Hand zurück. Gerade als er begann, sich hilflos zu fühlen, öffnete sich die Schale erneut.

„Das war köstlich. Das Beste, was ich je gegessen habe", ertönte eine leise Stimme aus dem inneren der Schale. „Mein Name ist Priscilla die Perlmuschel. Der Sturm hat mich von meiner Heimat, dem Austernfeld an der Küste, hierher verschlagen. Danke für deine Hilfe."

Schweigend fuhr er fort, sie zu füttern, Löffel um Löffel, bis die Auster satt war.

Colin war den ganzen Tag mit seinen eigenen Pflichten um das Haus beschäftigt. Trotzdem behielt er die Auster im Auge, die sich im Schutz des Pavillons ausruhte.

„Nun habe sogar ich etwas Wertvolles in meinem Heim, oder zumindest meine neue Freundin hat es", dachte Colin, und stellte sich die überwältigende Perle vor, die die Auster in sich trug.

Es dauerte einige Zeit, bis sich Priscilla von der schrecklichen Erfahrung, der Gnade der Wellen ausgeliefert zu sein, erholte. Colin der Krebs bemerkte, dass sie sich schwer tat. Sie war an einem seltsamen Ort voller vollkommen Fremder gelandet. Der Weg vom Austernfeld an der Küste durch das stürmische Flussdelta war voller Gefahren gewesen. Nun befand sich Priscilla die Perlmuschel in der Sicherheit der Heimatbucht des Krebses.

Als es Nacht wurde, und der Mond am Himmel aufging, erzählten sich die neuen Freunde gegenseitig die Geschichten ihres Lebens.

„Du hattest bestimmt ein aufregendes Leben, dort in der Weite des Ozeans", seufzte Colin sehnsüchtig, als ihm die Perlmuschel von den farbenfrohen Korallenriffen und den großen Ozeandampfern erzählte, die Waren von weit entfernten Ländern importierten.

„Die wirst es vielleicht nicht glauben, Colin, aber tatsächlich bin ich es, die dich beneidet", antwortete die Perlmuschel nachdenklich. „Natürlich bin ich stolz auf die Perle in meiner Schale, aber abgesehen davon ist mein Leben eher ereignislos. Tag aus, Tag ein, bin ich gezwungen, nur auf der Austernfarm zu bleiben, und ich kann die Schiffe und die Fische, die an mir vorbei schwimmen, nur beobachten."

Priscilla die Perlmuschel bemerkte, dass der Krebs an ihrer Perle interessiert war. Normalerweise würde sie nicht mit ihrer Perle vor anderen protzen, und behielt sie sicher in ihrer Schale. *Aber Colin ist vertrauenswürdig*, dachte Priscilla, und öffnete sich. Mondlicht traf auf die glänzende Oberfläche der Perle, und brachte sie zum leuchten. Colin der Krebs rieb seine runden Augen, und war sprachlos vor Entzücken. Er hatte noch nie in seinem Leben etwas Vergleichbares gesehen.

In der Woche nach der großen Welle, war Colin der Krebs außergewöhnlich fröhlicher Stimmung. Es war eine wahre Freude, seine neue Mitbewohnerin um sich zu haben. Auch Priscilla die Perlmuschel lebte auf. Sie genoss es, Colins köstliche Speisen zu essen, und entspannte sich im Schutz des Pavillons.

Colin hatte es sich angewöhnt, seine alten Freunde zu besuchen, und ihnen Neuigkeiten über die Genesung der Perlmuschel zu berichten. Er erzählte ihnen auch von der glänzenden Perle, die er im Mondlicht hatte bewundern dürfen. Er bemerkte, dass zumindest Sally der Seestern etwas eifersüchtig zu sein schien.

Die alte Frau Wels hatte Colin wiederum ihren antiken Schmuck gezeigt, und nach dem Alter der Perle der Auster gefragt. Eddie der Aal war sehr daran interessiert, zu erfahren, was die Perle wert war, aber davon hatte Colin nicht die leiseste Ahnung.

Gerade als Colin der Krebs vom Besuch bei seinen Freunden zurückkehrte, bemerkte er, dass ein seltsamer Besucher auf seinem Briefkasten saß.

„Darf ich mich vorstellen? Mein Name ist Larry der Hummer, und ich komme von weit weg von der Küste", sagte er sanft. „Ich wage es zu hoffen, dass Sie einem Vagabunden wie mir ‚eine erfrischende Tasse Tee servieren würden."

„Ich denke, ich würde", antwortete Colin zögerlich. „Wie sind Sie denn ausgerechnet zu meinem Haus gekommen?"

„Seien Sie doch nicht so bescheiden, Herr Krebs", schleimte der Besucher. „Immerhin sind Sie berühmt für Ihre Freundlichkeit und Gastfreundschaft."

"Bitte kommen Sie herein", sagte Colin verwirrt, und ließ den Fremden hinein.

Colin der Krebs servierte ein paar Snacks auf einem Tablett, und unterhielt sich mit seinem Gast. Larry der Hummer antwortete abgelenkt, während er ungeduldig um sich blickte. Es machte den Eindruck, als ob er etwas suchen würde.

„Man sagt, Herr Krebs, dass Sie eine neue Mitbewohnerin haben", erkundigte sich Larry der Hummer neugierig. „Ich habe gehört, dass sie von der Küste kam. Ich frage mich, ob sie eine Bekannte von mir ist."

„Sie können sie treffen, wenn Sie möchten", willigte Colin zögerlich ein. „Wir können den Snack in meinem Pavillon zu uns nehmen. Die Perlmuschel ist dort, und erholt sich von ihren Strapazen."

Colin sah argwöhnisch dabei zu, wie Larry der Hummer blitzschnell nach draußen huschte, und sich direkt zur Perlmuschel begab.

„Ehrenwerte Auster, bitte akzeptieren Sie diese bescheidene Blume", sagte der Hummer sanft, und überreichte Priscilla eine prachtvolle Wasserlilie. „Man kann diese Blume nur dort finden, wo Sie und ich herkommen."

Der Krebs servierte der Auster und seinem neuesten Besucher Snacks. Larry der Hummer war ein guter Redner. Er hatte ein unglaublich breites Wissen über Perlmuscheln und Austernfelder. Sogar Priscilla schien langsam mit ihm warm zu werden. Bald leuchteten sogar ihre Wangen

Colin der Krebs hörte von der Seite aus zu, wie Larry der Hummer lange Geschichten über seine eigenen Abenteuer erzählte. Colin hatte keine einzige Geschichte zu erzählen, die so aufregend war. Er bezweifelte, dass irgendjemand hören wollen würde, wie eine Krebs Dächer flickte, und Zäune baute. Der Hummer und die Auster waren bald von der Gesellschaft des anderen voll eingenommen. Colin stapelte still das Geschirr, und trug das Tablett zurück in die Küche.

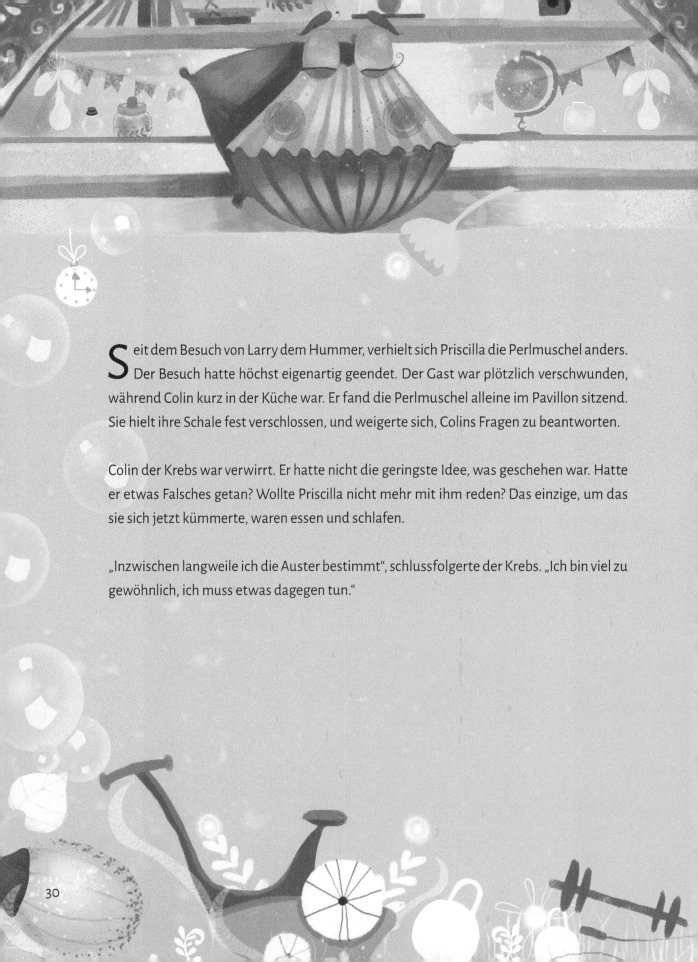

Seit dem Besuch von Larry dem Hummer, verhielt sich Priscilla die Perlmuschel anders. Der Besuch hatte höchst eigenartig geendet. Der Gast war plötzlich verschwunden, während Colin kurz in der Küche war. Er fand die Perlmuschel alleine im Pavillon sitzend. Sie hielt ihre Schale fest verschlossen, und weigerte sich, Colins Fragen zu beantworten.

Colin der Krebs war verwirrt. Er hatte nicht die geringste Idee, was geschehen war. Hatte er etwas Falsches getan? Wollte Priscilla nicht mehr mit ihm reden? Das einzige, um das sie sich jetzt kümmerte, waren essen und schlafen.

„Inzwischen langweile ich die Auster bestimmt", schlussfolgerte der Krebs. „Ich bin viel zu gewöhnlich, ich muss etwas dagegen tun."

Im hinteren Teil seines Lagerraums fand Colin der Krebs etwas Trainingszubehör, das ihm Eddie der Aal vor langer Zeit geschenkt hatte. Es würde sich nun als nützlich erweisen. Der Krebs musste sein körperliches Erscheinungsbild verbessern. Was folgte, waren Tage voller harter Arbeit. Colin der Krebs stemmte Gewichte, und trainierte eifrig. Ab und zu untersuchte er sein Spiegelbild, er konnte aber keine erkennbaren Unterschiede feststellen.

Priscilla beobachtete Colins Treiben still. Sie sehnte sich danach, ihrem Freund die Wahrheit zu sagen, aber sie wusste nicht, wo sie beginnen sollte. Es war etwas passiert, das nie hätte passieren dürfen. Die Auster hatte ihre Perle verloren.

Nachdem er einen weiteren Tag geschuftet hatte, näherte sich Colin der Krebs vorsichtig der Perlmuschel, die alleine im Pavillon kauerte. Es war ein wundervoller Abend, und der Fluss strömte langsam.

„Ich habe den Eindruck, dass du dich nicht sehr gut fühlst", sagte Colin während er die Schale liebevoll streichelte. „Ich würde dir sehr gerne helfen, ich wünschte, du könntest mir sagen, was dich bedrückt."

Priscilla die Perlmuschel blieb noch immer still. Sie schämte sich dafür, vor Larry dem Hummer so leicht dahingeschmolzen zu sein. Sie hatte seinen leeren Schmeicheleien geglaubt, und den hinterlistigen Fremden ihre Perle in seine Scheren nehmen lassen. In der Hitze des kurzen Gefechtes zwischen der Auster und dem Hummer, war die Perle auf den steinigen Boden am Grund des Flusses gefallen. Würde sie ihre Perle je wiedersehen?

Die Stille dauerte an, aber Colin blieb geduldig.

Der Krebs und die Perlmuschel saßen nebeneinander im Pavillon, während der Mond seine Reise über den Himmel fortsetzte. Seine Strahlen trafen auf die Tränen, die aus der Schale tropften. Letztendlich öffnete sie sich langsam, und Colin konnte sehen, dass die Perle nicht länger dort war. Schluchzend erzählte Priscilla ihm, was geschehen war.

„Warum hast du mir das nicht gleich erzählt?", fragte der Krebs verwundert.

„Ich war nicht mutig genug. Ich hatte Angst, dass ich für dich nicht länger wertvoll wäre", gestand die Auster.

„Wie konntest du das nur denken? Dass du meine Freundin bist, ist das Wertvollste für mich. Die Perle ist nicht wichtig, du bist wichtig", antwortete Colin ernst.

Colin der Krebs war normalerweise gelassen wie eine Kuh, aber nun brodelte es in ihm. Wie konnte Larry der Hummer diese Frechheit besitzen! Einfach so eine unschuldige Auster anzugreifen, und zu versuchen ihre Perle zu stehlen! Colin war entschlossen, dass er nicht einen Stein auf dem anderen lassen würde. Er würde die Perle finden!

Die Scheren des Krebses drehten jeden Stein am Grund des Flusses um. Kontinuierlich und systematisch durchsuchte er jede Erdhöhle in der Bucht. Endlich wurde seine harte Arbeit belohnt. Erschöpft, aber mit einem breiten Grinsen, hielt er die glänzende Perle vor die Augen von Priscilla der Perlmuschel.

„Ich werde dir für immer dankbar sein", sagte Priscilla, während sie die Perle, die Colin gerade gefunden hatte, liebkoste.

„Aber warum siehst du dann so traurig aus?", fragte Colin erstaunt, als er bemerkte, dass sich ihre Augen mit Tränen füllten.

„Das Leben hier mit dir ist wundervoll, wirklich. Aber ich vermisse meine Familie und den Ozean", sagte Priscilla leise. „Ich werde morgen abreisen."

Colin wusste, dass es sinnlos war, zu versuchen Priscilla die Perlmuschel zu überzeugen, dass sie bleiben sollte. Ihr Zuhause war in dem Austernfeld an der Küste. Das wurde dem Krebs klar.

Eddie der Aal kam, um Priscilla die Perlmuschel mit seinem neuen Motocopter abzuholen. Eddie war auf dem Weg quer durch den Ozean, um seine Familie zu besuchen, und hatte versprochen, die Perlmuschel dabei nach Hause zu bringen. Bevor sie an Bord stieg, dankte Priscilla Colin dem Krebs ,und umarmte ihn noch einmal. Die zwei Freunde drückten einander so fest, dass ihre Schalen fast zerbrachen. Die Türen des Motocopters schlossen sich, und im Nu verschwand Eddies fantastisches Gefährt flussabwärts.

Colin der Krebs wanderte durch seinen leeren Garten. Er fühlte sich schwermütig, aber beschloss die Dinge positiv zu sehen. Die Perlmuschel kehrte zurück in die Sicherheit ihres Zuhauses und ihrer Familie. Auf jeden Fall war die Auster nun seine Freundin. Aufgeregt begann Colin die Zukunft zu planen. Vielleicht konnte er auch einen Motocopter kaufen, einen kleinen und gebrauchten, um Priscilla die Perlmuschel manchmal zu besuchen.

Als es Nacht wurde, ging der Mond über der Bucht auf. Colin saß auf seiner Veranda, und bewunderte den silbernen Schein. Er erinnerte ihn an eine Auster und an eine Perle. Aber das wichtigste war, dass er wusste, dass Priscilla, weit weg an der Küste, in dieser Nacht den selben Mond betrachtete wie er. Denn das war es, was sie sich gegenseitig versprochen hatten.

Lightning Source UK Ltd.
Milton Keynes UK
UKHW050712060421
381461UK00002B/61